Ce livre appartient à :

Offert par :

RETROUVEZ Winnie l'Ourson DANS

La surprise de Winnie l'Ourson

Winnie l'Ourson et l'arbre à miel

MA PREMIÈRE BIBLIOTHÈQUE ROSE

DISNEY

La surprise de Winnie l'Ourson

D'après l'œuvre *WINNIE THE POOH* de A.A. Milne et E.H Shepard.
Ont collaboré à cet ouvrage : Josie Yee pour l'illustration
de *La surprise de Winnie L'Ourson* , Nancy Stevenson pour l'illustration
de *Bon anniversaire,Bourriqet* !, Virginiee Bréham pour l'adaptation
de l'illustration de couverture et Natacha Godeau pour le texte.

Hachette Livre, 43, quai de Grenelle, 75015 Paris.

1

La surprise de Winnie l'Ourson

En ce premier mai radieux, Winnie se promenait dans la Forêt des Rêves Bleus. C'était le

temps du muguet... et de plein d'autres fleurs.

« Chouette ! Le printemps est ma saison préférée ! »

dit Winnie en cueillant une pâquerette.

Son cœur débordait tellement de joie qu'il se mit à chantonner :

C'EST LE PRINTEMPS

DOU-DI-DOU-DA

QUEL JOLI TEMPS

DI-DOU-DI-DAM

JE CUEILLE DES FLEURS

DOU-DI-DOU-DA

C'EST LE BONHEUR

DI-DOU-DI-DAM

L'ourson ramassa tant de tulipes, de roses et de lilas qu'il eut beaucoup de mal à les rapporter chez lui.

Au prix de gros efforts, il arriva enfin à la maison. Il étala les fleurs sur la table de la cuisine... Quel tas immense !

« Pooh ! Jamais je n'aurai assez de vases ! Je me demande ce que je vais faire de tout cela... »

Mais Winnie était un ours de peu de cervelle et lorsqu'il se demandait

quelque chose, il ne savait pas toujours trouver de réponse…

Alors il se mit à réfléchir. Il pensa de toutes ses forces.

« Voyons… Il serait dommage de laisser se faner de tels cadeaux de la nature… »

Voilà qui lui donna une idée !

« J'ai trouvé ! s'exclama-t-il. Je vais les offrir à mes amis ! »

Il ouvrit le buffet où il gardait toutes sortes d'objets

inutiles, au cas où, et il sortit plusieurs corbeilles en osier, de différentes formes et de différentes tailles ; une pour chacun de ses amis.

Bon. Il s'agissait de ne pas se tromper.

Winnie voulait être sûr de bien faire plaisir à chacun de ses amis. Ils avaient tous des goûts si différents !

Il commença par la corbeille de fleurs de Porcinet.

« Porcinet est bien petit et bien fragile, remarqua l'ours en peluche. Il me faut donc un bouquet très délicat. »

Après mûre réflexion, il décida de lui réserver les boutons d'or si tendres et les trèfles si frêles.

Il les installa joliment dans le panier le moins grand.

« Avec un peu de chance, Porcinet trouvera même un trèfle à quatre feuilles. Ça lui portera bonheur ! »

Ensuite, Winnie prépara la corbeille de Tigrou.

Celui-ci avait un caractère plutôt farfelu !

« Je crois que, dans ces conditions, le bouquet le moins sage sera le mieux. »

L'ourson s'empara d'une brassée de fleurs au hasard.

Il les jeta en l'air et elles retombèrent n'importe comment dans le panier.

« Mission accomplie ! décréta-t-il en riant. Une corbeille de fleurs mélangées et mal rangées pour un Tigrou à l'esprit tout embrouillé ! »

Puis Winnie fronça le museau.

« Maintenant, passons aux choses sérieuses », murmura-t-il en courant chercher une paire de ciseaux.

« Coco Lapin est quelqu'un de très tatillon et parfois même un brin maniaque. À mon avis,

j'ai intérêt à m'appliquer ! »

Sur quoi, il sélectionna une poignée de tulipes du même violet exactement. Il coupa leur tige à la même longueur exactement et les planta toutes dans le même sens exactement.

Il fallait que cela soit bien droit, bien régulier, bien ordonné. Winnie travaillait avec tant de soin et d'ardeur qu'il en tirait la langue !

Avant de continuer, il

rangea les premiers bouquets sur son étagère.

« Parfait. Au tour de Petit Gourou ! »

Il fouilla à nouveau dans son buffet et découvrit une

collection de balles multicolores. Il chercha des fleurs assorties qu'il décora en plaçant les balles au pied de leur tige.

« Petit Gourou adore s'amuser. Sûr qu'avec cette corbeille à jouer, il sera enchanté ! » dit-il d'un ton satisfait.

Quant à Grand Gourou, il lui prépara un panier des plus romantiques, avec une anse, et des œillets.

Pour Maître Hibou, il composa un ensemble très savant.

« Surtout, que je n'oublie pas Bourriquet ! Le pauvre en serait trop déprimé… »

Dans une corbeille toute ronde, Winnie arrangea des fleurs couleur de chardon et des brindilles comme les aime l'âne gris.

Sept corbeilles s'étalaient à présent sur l'étagère !

La huitième, la dernière, était la plus importante. C'était celle de Jean-Christophe !

L'ourson déposa un panier immense sur la table.

Au moment de le remplir, un grave problème se posa : il ne restait plus une seule fleur !

« Catastrophe et malheur de moi ! gémit Winnie en constatant le désastre.

Que puis-je faire d'une minuscule feuille de rose et d'un tout petit morceau de tige de bleuet ? Cela me semble bien maigre pour le plus beau de tous les bouquets ! »

En effet, Winnie, c'était bien maigre !

Pourtant, il était absolument hors de question de ne rien offrir à Jean-Christophe...

« Misère ! Que vais-je mettre dans sa corbeille ? » soupira l'ours.

À force de concentration, il envisagea bientôt une solution.

« Je sais, et j'ai dans l'idée que Jean-Christophe aimera beaucoup mon cadeau ! »

Winnie se rappela qu'un jour Porcinet lui avait donné un pot de miel entouré d'un ruban rouge. Par prudence, et parce qu'un ourson prévoyant en vaut deux, Winnie ne jetait jamais rien.

Il retrouva donc le

ruban et le noua solidement autour de l'immense panier. C'était très joli, oui, mais…

Qu'allait-il mettre à l'intérieur… ?

« Quelque chose de rare, de précieux et d'unique qui présente l'avantage de ne pas se faner ! » fredonna-t-il gaiement en chargeant toutes les corbeilles sur son chariot.

Puis, il partit pour la grande distribution.

Il prit le sentier de la forêt. Celui qui faisait tout le tour du voisinage… en évitant toutefois le

Repaire Présumé des Féroces Néfélants.

Winnie se rendit d'abord au terrier de Coco Lapin qui se montra très touché. Il s'écria :

« Oh, Winnie ! Quelle généreuse attention ! Un bouquet si bien composé mérite une place d'honneur ! »

Et le lapin le posa sur le rebord de sa fenêtre préférée.

Heureux de son succès, l'ours en peluche se remit en route. Tirant son chariot derrière lui, il passa chez Porcinet, Maître Hibou, Bourriquet et Tigrou.

OUF ! Plus que trois corbeilles à distribuer !

Il frappa à la porte de la famille kangourou.

« Mais… Ce n'est pas mon anniversaire ! » lança Petit Gourou, surpris.

Grand Gourou lui expliqua :

« Pas besoin d'attendre un anniversaire pour prouver que l'on est un ami sincère, Petit Gourou. Merci, très cher Winnie. Ces fleurs sont dignes d'une princesse !

– Et ces balles dignes de moi ! » ajouta Petit Gourou en applaudissant.

Vraiment, Winnie était bien content. Il ne restait

plus qu'à s'occuper de Jean-Christophe...

« Bonjour, Jean-Christophe. J'ai un cadeau pour toi ! » dit Winnie en lui tendant

l'immense panier avec un nœud rouge.

Le petit garçon le regarda avec perplexité.

« C'est gentil, mon vieux Winnie. Il est certain qu'en réfléchissant bien, un panier comme celui-là peut toujours avoir son utilité... Laquelle, c'est ce que j'aimerais bien savoir ! »

L'ourson éclata de rire.

« Mais ce n'est pas la corbeille, ton cadeau ! C'est plutôt ce qu'il y a dedans ! »

Jean-Christophe eut beau se pencher en avant et scruter le fond du panier, il ne vit rien de rien.

Alors, Winnie déposa la corbeille par terre, grimpa fièrement à l'intérieur et déclara d'un air solennel :

« Pour toi, Jean-Christophe, un cadeau d'exception. »

Il tendit les bras vers le garçon et poursuivit :

« Je n'avais plus une seule fleur à t'offrir, tu comprends. Mais je crois qu'une Corbeille-de-Winnie comblera ton cœur !

– Cher Winnie ! s'esclaffa Jean-Christophe en le serrant tout contre lui. Décidément, pour un Ours-Sans-Cervelle, ton amour est gigantesque ! »

Jean-Christophe embrassa l'ourson avec affection.

« Oui, tu es le plus merveilleux des cadeaux. »

2

Bon anniversaire, Bourriquet !

Ce jour-là, dans la Triste Prairie, Bourriquet s'ennuyait plus encore qu'à l'accoutumée. Winnie, qui

passait dans les parages, s'en étonna.

« Bonjour, Bourriquet. Pourquoi es-tu si morose ?

– Oh, bonjour, Winnie. Et merci de me l'avoir souhaité !

– Souhaité quoi ? demanda l'ourson, intrigué.

– Mon anniversaire, pardi ! Et où sont mes cadeaux, mon gâteau, mes bougies ?

– Nulle part... » dut admettre Winnie en regardant partout autour de lui, l'air embarrassé.

L'âne gris poussa un profond soupir.

« Hé oui, décidément, c'est toujours la même chose ! Remarque, je ne me plains pas. La solitude a ses avantages… »

Sa déception chagrinait vraiment Winnie. Il essaya de le réconforter :

« Mais je suis ton ami, Bourriquet ! Je suis juste un peu écervelé, et un peu étourdi ! »

Il se pencha vers lui en souriant et ajouta :

« Joyeux anniversaire, Bourriquet !

– J'apprécie tes efforts, Winnie, grommela l'âne dans un gros sanglot. Car, après tout, comme dirait Maître Hibou, mieux vaut tard que jamais… »

Soudain, Winnie prit une décision. La décision de surprendre son ami Bourriquet !

« Attends-moi ici, dit-il. Je reviens vite. Surtout, ne bouge pas ! »

L'âne gris secoua la tête.

« Et où irais-je ? Personne ne m'a convié

à aucune fête d'aucune sorte, que je sache... »

Winnie courut aussitôt jusqu'à sa maison. En chemin, il réfléchit de toutes ses forces. Il tâchait d'échafauder un plan. Ce qui, pour une peluche sans cervelle, n'était pas une mince affaire !

« Il est encore temps d'offrir un beau cadeau à Bourriquet. Le problème, c'est de savoir lequel ! »

Un bouquet de chardons aurait été parfait… si son ami ne les avait pas déjà tous mangés ! En arrivant chez lui, Winnie découvrit qu'il avait un visiteur.

« Quelle aubaine, tu tombes bien, Porcinet ! Viens m'aider à trouver un cadeau d'anniversaire pour Bourriquet !

– Avec joie, Winnie ! Mais... Pourquoi t'y prends-tu tellement en avance ?

– Parce que c'est aujourd'hui, nigaud ! »

Porcinet rougit jusqu'à la pointe de ses petites oreilles.

Il bafouilla :

« J'ignorais ce détail, qui a tout de même son importance !

– Et encore, tu n'as pas vu dans quel état s'est mis Bourriquet !

– J'imagine le désastre, répondit Porcinet. Il faut absolument le consoler ! Qu'as-tu à lui donner, Winnie ? »

Les deux amis fouillèrent l'armoire, la table de nuit, le buffet et les étagères. En vain.

« À moins que je ne lui offre ce pot de miel de ma réserve personnelle ! Qu'en dis-tu, Porcinet ?

– J'en dis que c'est une excellente idée, Winnie ! Tu permets que je le lui offre aussi ? »

L'ourson fronça les sourcils.

« Selon moi, *deux* cadeaux lui feraient plus plaisir qu'un seul... Aussi délicieux soit-il ! »

Au fond, Winnie avait raison. Alors Porcinet partit de son côté chercher un autre cadeau

tandis que Winnie retournait à la Triste Prairie.

Il ne fallait pas trop faire patienter Bourriquet, le pauvre semblait déjà si triste !

Tout à coup, au détour du Petit Sentier, Winnie entendit un drôle de bruit... comme un « GLOU-GLOU » bizarre qui gargouillait dans son estomac...

« Je crois que l'heure

est venue de me restaurer ! Marcher, ça creuse. Heureusement, j'ai emporté du miel ! »

Et il plongea le museau dans le pot qu'il destinait à Bourriquet !

Winnie mangea un peu, beaucoup, énormément... Le gourmand engloutit jusqu'à la dernière goutte de miel !

« Miam ! Quel régal ! » dit-il en léchant les bords du pot avec application.

Quand il eut fini, il réalisa brusquement qu'il se tenait assis au pied d'un arbre...

« Sapristi ! Si je ne suis

pas à la maison, c'est donc que je me rendais quelque part. Mais où ? »

Il pensa, pensa et repensa…

« Je me souviens ! s'exclama-t-il enfin au bout d'un moment. Bourriquet m'attend à la Triste Prairie ! »

La question était de savoir pourquoi !

Winnie se concentra à nouveau.

« Voyons... Comme je ne suis pas le facteur de la Forêt des Rêves Bleus, Bourriquet ne m'attend pas pour son courrier. Bon.

Alors, que suis-je au juste ? »

L'ourson se frottait le front, histoire de retrouver la mémoire.

« Je suis son ami bien attentionné, j'aime lui faire plaisir et… Oh, misère ! Son anniversaire ! Je viens de manger tout son cadeau ! »

Il fallait offrir autre chose à Bourriquet !

« Quel souci, j'ai déjà eu tant de mal avec ce pot… »

Soudain, une idée de génie lui traversa l'esprit. Il s'esclaffa :

« Il me reste encore le pot de miel ! Il est plutôt joli. Sans compter que c'est toujours utile, un pot vide. »

Winnie savait de quoi il parlait. Chez lui, il possédait un Buffet-À-Objets-Qui-Pourraient-Bien-Servir-Un-Jour, et il en était très content.

C'est ainsi que, clopin-clopant, il se remit en route, le pot fermement serré sous le bras.

Pendant ce temps, Porcinet avait résolu de donner son magnifique ballon rouge à Bourriquet.

Tout joyeux, il traversait les bois en direction de la Triste Prairie.

« Il faut que je me dépêche ! J'adorerais arriver avant Winnie et

offrir mon cadeau en premier ! » haletait-il sur le chemin.

« Où cours-tu si pressé ? » demanda subitement une voix au-dessus de sa tête.

Porcinet leva les yeux. Il aperçut Maître Hibou en pleine tournée d'inspection de la forêt.

« À ta place je ménagerais mon souffle et je me débarrasserais de ce ballon encombrant !

– Oui, mais vous n'êtes pas à ma place, Maître Hibou ! bégaya Porcinet. Je dois souhaiter sans tarder un bon anniversaire à Bourriquet ! »

Le savant oiseau hoqueta, honteux :

« Catastrophe, je l'avais oublié ! Je file avertir Jean-Christophe ! »

Porcinet, qui regardait le hibou s'éloigner à grands coups d'ailes, ne vit pas qu'un arbre lui barrait la route.

Il se cogna contre le tronc rugueux.

« PAN ! » Le ballon éclata !

« Malheur de malheur ! Mon beau ballon rouge n'est plus qu'une vieille baudruche… » se lamenta le petit cochon.

Il décida d'aller malgré tout à la cabane de Bourriquet.

« Bouh ! Je doute fort que mon cadeau lui plaise, mais il est trop tard pour reculer... »

L'âne gris se demandait si Winnie reviendrait un jour lorsque surgit Porcinet.

Il traînait une drôle de ficelle, derrière lui.

« Bonjour, Porcinet.

Et merci de me l'avoir souhaité ! »

Le petit cochon lui tendit piteusement son cadeau.

« Pas trop mauvais anniversaire, Bourriquet ! » murmura-t-il.

L'âne contempla le ballon crevé d'un air désolé.

« Merci quand même, Porcinet. J'imagine que, dans cette situation, c'est l'intention qui compte... »

Winnie l'Ourson arriva sur ces entrefaites.

« Coucou, Bourriquet ! Figure-toi que je t'ai réservé une fameuse surprise, pour ton anniversaire !

– Je crains le pire… » bougonna l'âne.

L'ourson brandit fièrement son pot vide.

« Tiens, tu pourras ranger n'importe quoi, là-dedans !

– *N'importe quoi*, c'est le mot juste ! constata le morne Bourriquet.

– Tout et rien… Ou rien du tout ! renchérit Porcinet.

– Bof, autant que cette espèce de pot serve à n'importe quoi, plutôt qu'à rien du tout ! »

Là-dessus, Bourriquet ramassa la baudruche et la mit dans le pot.

« Quelle veine ! J'ai trouvé une place pour mon premier cadeau, et une utilité pour le second ! »

L'ironie de leur ami échappa à Winnie et Porcinet.

« Je suis ravi de t'avoir offert un pot *si pratique*, Bourriquet ! remarqua l'ours en peluche.

– Et moi, de t'avoir apporté quelque chose qui l'a rendu *si indispensable* !

ajouta le cochonnet.

– À vrai dire, j'avoue que vous m'avez bien étonné, admit Bourriquet. Finalement, je suppose qu'avoir pensé à moi était le

plus précieux des cadeaux que vous pouviez me faire... »
Un pot *vide*, peut-être ; un ballon *crevé*, assurément... mais de la part de merveilleux amis au cœur d'or !

« Et je ne me sens plus seul du tout ! »lança l'âne gris en jetant un œil attendri sur Winnie et Porcinet.

« RANTANPLAN ! »

Un roulement de tambour attira leur attention.

« Par exemple ! Jean-Christophe ! Te voilà !

– Bon anniversaire, Bourriquet ! Nous sommes tous venus t'inviter à une grande fête en ton honneur, chez Coco Lapin... Acceptes-tu de nous y accompagner, mon vieil âne triste ?

– Certainement, Jean-Christophe, s'empressa de répliquer Bourriquet.

Mais aujourd'hui, je ne suis plus un âne triste. Je suis un âne heureux, ému et… tellement aimé ! »

Jamais la Forêt des Rêves Bleus ne connut de fête d'anniversaire plus réussie !

Bien sûr, Bourriquet ne montrait pas souvent d'enthousiasme, ni de gaieté. Mais ce jour-là, chacun put en témoigner : un faible sourire se dessina sur ses lèvres…

… Et ne les quitta plus jusqu'au lendemain !

Joyeux anniversaire, Bourriquet !

Table

Dans la même collection…

Enid Blyton™
Oui-Oui
et les ours
en peluche

Enid Blyton™
Oui-Oui
et les lapins roses

Enid Blyton™
Oui-Oui
et le kangourou

Enid Blyton™
Oui-Oui
tête en l'air

Dans la même collection...

ma première bibliothèque rose
Enid Blyton™
Le feu d'artifice de
Jojo Lapin

ma première bibliothèque rose
Enid Blyton™
Jojo Lapin
joue à cache-cache

ma première bibliothèque rose
Enid Blyton™
Jojo Lapin
et l'arbre
à poissons

ma première bibliothèque rose
Enid Blyton™
Jojo Lapin
et
le grand Crocoreille

Imprimé en France par ***Partenaires-Livres***®
n° dépôt légal : 53265 – décembre 2004
20.24.0639.9/06 ISBN : 2-01-200639.6

Loi n° 49-956 du 16 juillet 1949
sur les publications destinées à la jeunesse